PAULA DANZIGER

Maja Bursztyn idzie do drugiej klasy

Tłumaczenie **Magdalena Zielińska**

Wydawnictwo Znak
Kraków 2007

Tytuł oryginału
Get Ready for Second Grade, Amber Brown
Text copyright © 2002 by Paula Danziger
Ilustrations copyright © 2002 by Tony Ross

Adiustacja
Barbara Poźniakowa

Korekta
Paulina Gwóźdź

Łamanie
Irena Jagocha

Podziękowania:
Wielkie dzięki dla Sheryl Hardin i jej Gromadki Zdolniachów
ze szkoły podstawowej Gullett, rocznik 2000–2001, w składzie:
Jacob Backhaus, Ashley Calhoun, Amber Day, Neal Edmondson,
Kelly Ellis, Gregory Gomez, Will Grover, Danielle Johnson,
Kramer Jones, Alex Manulik, Frances Mayo, Simon McCann,
Jordyn Michalik, Madalyn Montgomery, Kristin Page,
Kate Van Dyke,Victor Vogt, Kely Wray

Copyright © for the translation by Magdalena Zielińska
ISBN 978-83-240-0773-8

Społeczny Instytut Wydawniczy Znak,
ul. Kościuszki 37, 30-105 Kraków. Wydanie I, 2007.
Druk: Rzeszowskie Zakłady Graficzne S.A., Miłocin 181 k/Rzeszowa.

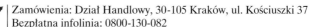

Zamówienia: Dział Handlowy, 30-105 Kraków, ul. Kościuszki 37
Bezpłatna infolinia: 0800-130-082
Zapraszamy do naszej księgarni internetowej: www.znak.com.pl

Dla Petera, Peggy,

Jamesa i Williama Salwenów

– z miłością – P.D.

Dla Laury – T.R.

Ja, Maja, idę do drugiej klasy – to dobra
wiadomość.

Zła wiadomość jest za to taka, że nasza
wychowawczyni odeszła z pracy dwa
tygodnie temu.

Jej mąż dostał nową pracę i musieli się
przeprowadzić.

Wszyscy uczniowie bardzo ją lubili
i mówili zawsze, że była świetną
nauczycielką.

Uśmiechała się do mnie, gdy mijałam ją
na korytarzu.

Teraz będziemy mieli nową
wychowawczynię.

Nawet jej nie znam.

Ona nie zna mnie.

A co, jeśli mnie nie polubi?

Staram się o tym nie myśleć.

Już za godzinę się przekonam, jaka jest
nowa nauczycielka.

Teraz przygotowuję się do szkoły.

Na łóżku leżą moje przybory szkolne:
nowe ołówki i długopisy, nowy zeszyt
i mój szczęśliwy długopis z różowym
piórkiem.

Rozpinam nowiutki plecak w kształcie misia.

Dostałam go od mojej cioci.

Powiedziała, że to prezent z okazji pójścia
do drugiej klasy.

Nazwałam go Miodek. Miodek Bursztyn.

Bo jest słodki i ma sierść w bursztynowym
kolorze.

Miodek też jeszcze nie jest całkiem gotowy,
żeby pójść do drugiej klasy.

Dokładnie tak jak ja.

Wkładam wszystko do plecaka i zasuwam
zamek.

– Miodku – mówię – jesteś naprawdę
wyjątkowy. Wszyscy cię polubią. No może
poza Hanką, ale nie martw się, ona jest
wredna dla wielu osób. A szczególnie dla
mnie.

– Maja! – woła Mama. – Czas na
śniadanie!

Biorę Miodka i spoglądam w lustro.

Mam na sobie nowe ubranie.

A na kolanie mam strupka. Już prawie
odpada. Nazwałam go Trupek.

Miodek, Trupek i ja jesteśmy gotowi.

Szkoło, uwaga, nadchodzimy!

Śniadanie. Mama i tata jedzą ze mną.

– Ślicznie wyglądasz! – mówi tata.

Uśmiecham się do niego.

– Elegancko! – mówi dalej. – Wyglądasz
tak, że każdy będzie chciał się z tobą
natychmiast zaprzyjaźnić.

Mama kładzie przede mną miskę płatków.

– Jestem przekonana, że to będzie dla
ciebie wspaniały rok.

Ja, Maja, wiem, że oni muszą tak mówić,
bo są moimi rodzicami.

Kończymy śniadanie.

Ktoś puka do drzwi. To Justyn,
mój najlepszy przyjaciel z naprzeciwka.
Też ma nowy plecak – Robomana,
w kształcie robota.

15

Tata podwozi mnie i Justyna do szkoły.

– W tym roku zamierzam opowiadać
kawały o kurczaku – zapowiada Justyn.

Patrzę na niego zdziwiona.

– Dlaczego kurczak przeszedł przez ulicę? –
pyta.

Myślę...

– Żeby pójść do drugiej klasy?

Justyn robi minę i mówi:

– Nie, głupolu, żeby dostać się na drugą stronę!

Mój tata się śmieje. Ja też.

Wysiadamy z samochodu i idziemy na plac zabaw, gdzie spotykają się drugoklasiści przed rozpoczęciem szkoły. Kuba i Jacek ubrani w nowiutkie szkolne ubrania biją się i tarzają po ziemi.

Witek pokazuje wszystkim swój tatuaż.
I mimo że wmawia nam, że jest
prawdziwy, ja wiem, że nie jest.

Ślinię palec i proszę Witka, żeby pokazał
mi ten tatuaż z bliska.

Dotykam go mokrym palcem i kawałek
się zmazuje!

Nic nie mówię, ale dobrze wiem, że jego

tatuaż nie jest prawdziwy.

Witek wie, że ja wiem.

Wystawia do mnie język.

Grzesiek i Filip pokazują sobie sztuczki,
jakich nauczyli się przez wakacje.

Grzesiek potrafi gwizdać stojąc na
rękach, a Filip potrafi z pamięci
wymienić stolice państw europejskich,
wydając jednocześnie dźwięki pachą.

Dziewczyny rozmawiają o nowej pani.

Alicja mówi, że nowa pani nazywa się Światłowska.

– Słyszałam, że tak naprawdę chciała uczyć w liceum – mówi.

– A ja słyszałam, że mówi na drugoklasistów „dokuczliwe pętaki" – dodaje Natalia.

Madzia przytula swoją ukochaną lalkę Barbie. – Boję się – mówi. – Chciałabym, żeby wróciła nasza pani.

Do naszej grupki podchodzi Hanka.

Patrzy na mój plecak.

– Drugoklasista nie powinien nosić
plecaka, który wygląda jak misiek.
To dobre dla małych dzieci!

Nie pozwolę, żeby Hanka zepsuła mi humor.

Nie zwracam na nią uwagi.

Natalia i Alicja kładą swoje zwierzakowe

plecaki obok mojego Miodka i patrzą na Hankę.

Ona wzrusza tylko ramionami i pod nosem

rzuca:

– Przedszkolaki!

Cała klasa rozmawia o pani
Światłowskiej i o tym, co nas martwi.
Dopóki nie zaczęliśmy o tym mówić,
nawet tak bardzo się nie bałam.

A co, jeśli będzie nam zadawała
dziesięć zadań domowych?
Albo, jeśli się zdenerwuje, jak ktoś
pokoloruje poza linią?

Co, jeśli nie będzie nam pozwalała
wychodzić na siku w trakcie lekcji?
A co, jeśli ona jest jakimś kosmitą z obcej
planety?!?

Słychać dzwonek na lekcję.

Pora poznać panią Światłowską.

Wchodzimy do sali numer 2.

Pani Światłowska czeka na nas przy
drzwiach.

Nie przypomina nauczycieli, których
znałam wcześniej.

Wygląda jak dziewczyna z liceum, albo
jak opiekunka do dzieci.

Ma na sobie dżinsową sukienkę
z wieloma naszywkami i przypinkami
w kształcie ołówków, książek, liter...

Ma też błyszczące kolczyki w kształcie
żarówek.

Już rozumiem...! Pani Światłowska –
światło – żarówki!

Uśmiecha się i do każdego z nas

mówi „witaj" i „cześć".

Nawet do Miodka.

Zaczynam myśleć, że

pani Światłowska może być

fajna.

Cała sala jest udekorowana.

Na każdym stoliku leży wycięta z kartonu

żarówka z wypisanym imieniem

i nazwiskiem.

Siadamy na swoich miejscach.

Siedzę obok Fryderyka. Mam nadzieję,
że przez wakacje oduczył się dłubania
w nosie.

Siedzę też obok Justyna. Hurrra!

No i siedzę obok Hanki. Tfu.

Hanka patrzy na moje nazwisko napisane na kartonowej żarówce.

– Maja Bursztyn. Jeju, ale ty się głupio nazywasz. Fuj. Pewnie nawet nie wiesz, że bursztyn to zastygła żywica. Czasem można w nim znaleźć pająki albo inne robaki.

Wiem, że mówi prawdę.

Mama dała mi kiedyś książkę o bursztynach, a od taty dostałam bursztynowy wisiorek z małą muchą w środku.

Hanka zaczyna mnie przedrzeźniać.

O nie, tego już za wiele.

– Hanka-Szklanka, przestań! – mówię.

Fryderyk powtarza: – Han-ka-Szklan-ka!.

Justyn zaczyna śpiewać:

– Spotkali się pewnego ranka, Zbyszek

Kieliszek i koleżanka Szklanka.

Pani Światłowska stoi przy tablicy.

– Witajcie w drugiej klasie! – mówi
z uśmiechem. – Zapowiada się niezwykle
ciekawy rok szkolny. Będziemy się uczyć
zupełnie nowych rzeczy o świecie i o nas
samych. – Jak już wiecie, nazywam się

Światłowska – kontynuuje. – Kto mi
powie, czym jest światło?
Szybko podnoszę rękę.
Chcę być pierwszą osobą w drugiej klasie,
która odpowie na pytanie.
Wszyscy inni też podnoszą ręce.

Pani wybiera Fryderyka.

– Światło to rodzaj energii. – mówi.

Fryderyk jest naprawdę mądry.

Pani Światłowska wysyła mu promienny

uśmiech. Niczym promyk światła.

– Najprawdziwsza prawda. Dzięki światłu możemy widzieć różne rzeczy. Większość światła pochodzi ze słońca. Część światła pochodzi z księżyca. Światło mamy też dzięki elektryczności – wystarczy włączyć pstryczek.

Justyn udaje, że wkłada palec do kontaktu: – Bzzzzzzzzzzzzzzzzzzz.

Pani przytakuje:

– Tak, to się może
komuś przytrafić...
Prąd bywa bardzo
niebezpieczny.

– Rrrrany! – mówimy wszyscy.

Pani uśmiecha się do mnie:

– Maju, czy wiesz, jaki związek ma twoje
nazwisko z elektrycznością?

Potrząsam głową.

– Słowo elektryczność pochodzi od słowa
elektron. Prąd to wiązka elektronów.
Starożytne greckie słowo „elektron"
znaczy...

Wszyscy patrzą na mnie.

– ... bursztyn – kończy pani Światłowska.

Jaśnieję z radości.

Ja – Maja Bursztyn – jestem strasznie
szczęśliwa.

Skoro już wiem tyle o prądzie, mogę
powiedzieć, że jestem tym zelektryzowana.
Odwracam się do Justyna i uśmiecham się
do niego szeroko.

Pokazuje mi kciuki do góry. – Tak trzymać!
Spoglądam na Hankę. Do niej też się
uśmiecham i robię zeza.

Pani mówi: – Chcę, żebyście mieli

dużo energii do nauki.

Chcę wam pomóc zabłysnąć

wiedzą.

Od tej pory będziemy nazywać

naszą klasę

Błyskotliwe Promyki.

Wszyscy się cieszymy.

Potem Pani mówi nam o zasadach,
których powinniśmy przestrzegać
w drugiej klasie.

Mamy być grzeczni. Mamy być
punktualni. Mamy się pilnie uczyć.

W końcu bierze z biurka książkę

i siada w swoim bujaku.

Zaczyna nam czytać.

Hurrrra!

Przed końcem roku, ja – Maja, będę potrafiła samodzielnie przeczytać całą książkę dla dzieci.

A w przyszłym roku, kiedy pójdę do trzeciej klasy, powiem wszystkim drugoklasistom,

że nie muszą się bać.

Ja – Maja Bursztyn – jestem gotowa, żeby chodzić do drugiej klasy.